place your photo here

an
ADVENTURE
in every
like

like
book™

a gift for:

_____

from:

_____

year:

_____

message:

_____

instructions

1. open the i like book

2. place pen in hand

3. write something you like about your child today

4. smile ☺ you just made someone feel special because you noticed something unique about them

5. repeat process the next day, and keep looking for those likes

the purpose of this book is to help families put love into practice.

why the i like book

do your children know what you **like** about them? have you ever thought about what you really **like** about your children? the **i like book** reserves a moment each day that is focused only on your children. They will grow to crave this positive attention while you, the parent, start to see the endless things you **like** in them.

how to use the i like book

write a short **i like** statement daily in your children's **i like book,** something you **like** about them, and share it with your children. try incorporating this activity into your bedtime routine. the **like** can be affectionate, funny, loving, silly, warm, complimentary, or anything special.

history of the i like book

when we were first married, we started leaving **i like** notes for one another. eventually, there were so many, it was difficult to keep track of them. we bought a notebook and began this routine daily. soon, our two sons joined our family, and each received a book. starting a new book each year in a regular notebook became challenging and frustrating. we felt compelled to create the **i like book** so that we might share the **i like** experience with others. this book is in a twelve-month layout sequence which makes it easy and fun to use. when filled with all of your **i likes**, it will be a cherished gift forever!

"kind words are short and easy to speak but their echoes are truly endless"

—mother theresa

like book™

touching hearts one **like** at a time

created by
meredith & lance j. looney

design & layout by
jani duncan smith, it girl design, llc

our guarantee:

we believe so strongly in the message of the i like book that we are making this quality guarantee to you. if for any reason you are disappointed with the i like book's ability to make a difference with your children, we will refund the purchase price of the book. to help us serve you better please send in the order form page and briefly describe the situation.

contact:
p.o. box 4091 parker, co. 80134

special discounts:

for information on wholesale pricing please contact us at 888.737.like (5453) or visit our website www.theilikebook.com

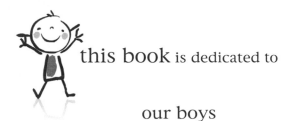 **this book** is dedicated to

_____our boys_____

jackson:
_____MoM_____ I Like ... _how you are both sweet & tough all wrapped into one._

_____Dad_____ I Like ... _watching you live your life as adventurously as you do._

austin:
_____MoM_____ I Like ... _your big bear hugs and butterfly kisses._

_____Dad_____ I Like ... _how your sense of humor lights up our house ._

(this is also an example of what your entries might look like)

thank you for taking the like journey with us. we are so excited for you to experience the joy and magic of the i like book with your children. the i like book was created to nurture and inspire each child's human spirit. our wish and guarantee is that the i like book brings peace and happiness into your home in the most natural way possible. the i like book is immediately impactful and forever cherished!

enjoy,

Meredith & Lance

_____
month

day 1:

_____ i like ... _____
written by
parent, grandparent, etc.
_____

_____ i like ... _____
written by
parent, grandparent, etc.
_____

day 2:

_____ i like ... _____

_____

_____ i like ... _____

_____

day 3:

_____ i like ... _____

_____

_____ i like ... _____

_____

day 4:

_____ i like ... _____

_____

_____ i like ... _____

_____

day 5:

_____ i like ... _____

_____

_____ i like ... _____

_____

day 6:

_____ i like ... _____

_____

_____ i like ... _____

_____

day 7:

_____ i like ... _____

_____

_____ i like ... _____

_____

i like...spending time with you.

month

day 8:
<u>written by</u>
parent, grandparent, etc. — i like ... _____

<u>written by</u>
parent, grandparent, etc. — i like ... _____

day 9:
_____ i like ... _____

_____ i like ... _____

day 10:
_____ i like ... _____

_____ i like ... _____

day 11:
_____ i like ... _____

_____ i like ... _____

day 12:
_____ i like ... _____

_____ i like ... _____

day 13:
_____ i like ... _____

_____ i like ... _____

day 14:
_____ i like ... _____

_____ i like ... _____

i like...spending time with you.

sketch page

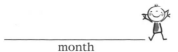

_____
month

day 15:
_____ i like ... _____
written by
parent, grandparent, etc.
_____
_____ i like ... _____
written by
parent, grandparent, etc.
_____

day 16:
_____ i like ... _____
_____
_____ i like ... _____
_____

day 17:
_____ i like ... _____
_____
_____ i like ... _____
_____

day 18:
_____ i like ... _____
_____
_____ i like ... _____
_____

day 19:
_____ i like ... _____
_____
_____ i like ... _____
_____

day 20:
_____ i like ... _____
_____
_____ i like ... _____
_____

day 21:
_____ i like ... _____
_____
_____ i like ... _____
_____

i like...spending time with you.

how are you feeling today?

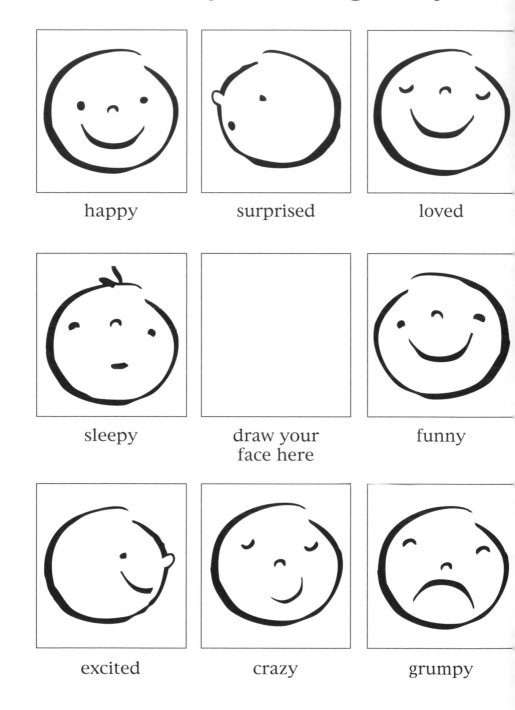

happy

surprised

loved

sleepy

draw your
face here

funny

excited

crazy

grumpy

month

day 22:

i like ... _____

i like ... _____

day 23:

_____ i like ... _____

_____ i like ... _____

day 24:

_____ i like ... _____

_____ i like ... _____

day 25:

_____ i like ... _____

_____ i like ... _____

day 26:

_____ i like ... _____

_____ i like ... _____

day 27:

_____ i like ... _____

_____ i like ... _____

day 28:

_____ i like ... _____

_____ i like ... _____

i like...spending time with you.

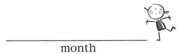

_____
month

day 29:

_____ i like ... _____
written by
parent, grandparent, etc.

_____ i like ... _____
written by
parent, grandparent, etc.

day 30:

_____ i like ... _____

_____ i like ... _____

day 31:

_____ i like ... _____

_____ i like ... _____

just for kids

what do you **like** about your family, friends, life or **you**?

_____ i like ... _____
my name

_____

_____

_____ i like ... _____

_____

_____ i like ... _____

_____

(kids too young to write? feel free to write on their behalf.)

BEDTIME

is **NOT** only for

SAYING GOODNIGHT

it's for saying what
i like about you

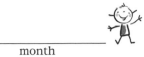

_____
month

day 1:
_____ i like ... _____
    written by
_____

_____ i like ... _____
    written by
_____

day 2:
_____ i like ... _____

_____

_____ i like ... _____

_____

day 3:
_____ i like ... _____

_____

_____ i like ... _____

_____

day 4:
_____ i like ... _____

_____

_____ i like ... _____

_____

day 5:
_____ i like ... _____

_____

_____ i like ... _____

_____

day 6:
_____ i like ... _____

_____

_____ i like ... _____

_____

day 7:
_____ i like ... _____

_____

_____ i like ... _____

_____

i like...watching you play.

"kids spell love time."

—john crudele

month

day 8:
_____ written by ——— i like ... _____
_____

_____ written by ——— i like ... _____
_____

day 9:
_____ ——— i like ... _____
_____

_____ ——— i like ... _____
_____

day 10:
_____ ——— i like ... _____
_____

_____ ——— i like ... _____
_____

day 11:
_____ ——— i like ... _____
_____

_____ ——— i like ... _____
_____

day 12:
_____ ——— i like ... _____
_____

_____ ——— i like ... _____
_____

day 13:
_____ ——— i like ... _____
_____

_____ ——— i like ... _____
_____

day 14:
_____ ——— i like ... _____
_____

_____ ——— i like ... _____
_____

i like...watching you play.

"if you sleep in your clothes you won't have to get dressed in the morning"

—stephanie

place your photo here

_____
month

day 15:
_____ written by ___ i like ... _____
_____
_____ written by ___ i like ... _____
_____

day 16:
_____ i like ... _____
_____
_____ i like ... _____
_____

day 17:
_____ i like ... _____
_____
_____ i like ... _____
_____

day 18:
_____ i like ... _____
_____
_____ i like ... _____
_____

day 19:
_____ i like ... _____
_____
_____ i like ... _____
_____

day 20:
_____ i like ... _____
_____
_____ i like ... _____
_____

day 21:
_____ i like ... _____
_____
_____ i like ... _____
_____

i like...watching you play.

design it ...

_____
month

day 22:
_____ i like ... _____
written by
_____

_____ i like ... _____
written by
_____

day 23:
_____ i like ... _____

_____

_____ i like ... _____

_____

day 24:
_____ i like ... _____

_____

_____ i like ... _____

_____

day 25:
_____ i like ... _____

_____

_____ i like ... _____

_____

day 26:
_____ i like ... _____

_____

_____ i like ... _____

_____

day 27:
_____ i like ... _____

_____

_____ i like ... _____

_____

day 28:
_____ i like ... _____

_____

_____ i like ... _____

_____

i like...watching you play.

_____
month

day 29:
_____ written by _____ i like ... _____
_____
_____ written by _____ i like ... _____
_____

day 30:
_____ i like ... _____
_____
_____ i like ... _____
_____

day 31:
_____ i like ... _____
_____
_____ i like ... _____
_____

just for kids

what do you **like** about your family, friends, life or **you?**

_____ my name _____ i like ... _____
_____
_____
_____
_____ i like ... _____
_____
_____
_____
_____ i like ... _____
_____
_____
_____

(kids too young to write? feel free to write on their behalf.)

i like

you

you make me smile all over my face ~ian

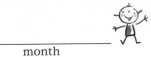

_____ month

day 1:

_____ written by _____ i like ... _____
_____

_____ written by _____ i like ... _____
_____

day 2:

_____ i like ... _____
_____

_____ i like ... _____
_____

day 3:

_____ i like ... _____
_____

_____ i like ... _____
_____

day 4:

_____ i like ... _____
_____

_____ i like ... _____
_____

day 5:

_____ i like ... _____
_____

_____ i like ... _____
_____

day 6:

_____ i like ... _____
_____

_____ i like ... _____
_____

day 7:

_____ i like ... _____
_____

_____ i like ... _____
_____

i like...your smile.

as they grow ...

10,905
number of
diapers changed
0-3 years

357
number of
"why" questions
asked daily
4-5 years

6-8
years old
kids double their
speaking and
listening vocabularies

623
slices of
pizza eaten
9-11 years

1,500
average number of text
messages exchanged
per month
12-14 years

_____ month

day 8:
_____ written by _____ i like ... _____
_____
_____ written by _____ i like ... _____
_____

day 9:
_____ i like ... _____
_____
_____ i like ... _____
_____

day 10:
_____ i like ... _____
_____
_____ i like ... _____
_____

day 11:
_____ i like ... _____
_____
_____ i like ... _____
_____

day 12:
_____ i like ... _____
_____
_____ i like ... _____
_____

day 13:
_____ i like ... _____
_____
_____ i like ... _____
_____

day 14:
_____ i like ... _____
_____
_____ i like ... _____
_____

i like...your smile.

squiggle

_____
month

day 15:
_____ written by _____ i like ... _____
_____
_____ written by _____ i like ... _____
_____

day 16:
_____ i like ... _____
_____
_____ i like ... _____
_____

day 17:
_____ i like ... _____
_____
_____ i like ... _____
_____

day 18:
_____ i like ... _____
_____
_____ i like ... _____
_____

day 19:
_____ i like ... _____
_____
_____ i like ... _____
_____

day 20:
_____ i like ... _____
_____
_____ i like ... _____
_____

day 21:
_____ i like ... _____
_____
_____ i like ... _____
_____

i like...your smile.

tic tac toe

month

day 22:

_____ *written by* _____ i like ... _____

_____

_____ *written by* _____ i like ... _____

_____

day 23:

_____ i like ... _____

_____

_____ i like ... _____

_____

day 24:

_____ i like ... _____

_____

_____ i like ... _____

_____

day 25:

_____ i like ... _____

_____

_____ i like ... _____

_____

day 26:

_____ i like ... _____

_____

_____ i like ... _____

_____

day 27:

_____ i like ... _____

_____

_____ i like ... _____

_____

day 28:

_____ i like ... _____

_____

_____ i like ... _____

_____

i like...your smile.

_____
month

day 29:

_____written by_____ i like ... _____
_____

_____written by_____ i like ... _____
_____

day 30:

_____ i like ... _____
_____

_____ i like ... _____
_____

day 31:

_____ i like ... _____
_____

_____ i like ... _____
_____

just for kids

what do you **like** about your family, friends, life or **you?**

_____my name_____ i like ... _____
_____
_____

_____ i like ... _____
_____
_____

_____ i like ... _____
_____
_____

(kids too young to write? feel free to write on their behalf.)

l *live*

i *in*

k *kindness*

e *everyday*

_____
month

day 1:
_____ written by _____ i like ... _____
_____
_____ written by _____ i like ... _____
_____

day 2:
_____ i like ... _____
_____
_____ i like ... _____
_____

day 3:
_____ i like ... _____
_____
_____ i like ... _____
_____

day 4:
_____ i like ... _____
_____
_____ i like ... _____
_____

day 5:
_____ i like ... _____
_____
_____ i like ... _____
_____

day 6:
_____ i like ... _____
_____
_____ i like ... _____
_____

day 7:
_____ i like ... _____
_____
_____ i like ... _____
_____

i like...holding your hand.

today i am ...

AGE

HEIGHT
WEIGHT

GRADE

I LIVE IN

HAPPIEST WHEN

FAVORITE COLOR

FAVORITE THING TO DO

FAVORITE FOOD

MY FRIENDS ARE

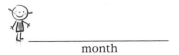
month

day 8:
_____ written by _____ i like ... _____
_____
_____ written by _____ i like ... _____
_____

day 9:
_____ i like ... _____
_____
_____ i like ... _____
_____

day 10:
_____ i like ... _____
_____
_____ i like ... _____
_____

day 11:
_____ i like ... _____
_____
_____ i like ... _____
_____

day 12:
_____ i like ... _____
_____
_____ i like ... _____
_____

day 13:
_____ i like ... _____
_____
_____ i like ... _____
_____

day 14:
_____ i like ... _____
_____
_____ i like ... _____
_____

i like...holding your hand.

random facts

7,000 new insect species are discovered every year

a cow gives nearly 200,000 glasses of milk in her lifetime

a hippo can open its mouth wide enough to fit a 4 foot tall child inside

a shrimp's heart is in its head

all polar bears are left handed.

approximately 70 percent of the earth is covered by water. only 1 percent of this water is drinkable

babies are born without knee caps.

bananas are not fruit! they are a type of herb

coca-cola was the first drink to be consumed in outer space

sound travels 15 times faster through steel than through air

the average iceberg weighs 20,000 tons

the longest word in the english language is pneumonoultramicroscopicsilicovolcanoconioses

you share your birthday with at least 9 million other people in the world

cold water weighs more than hot water

_____

month

day 15:
_____ written by _____ i like ... _____
_____
_____ written by _____ i like ... _____
_____

day 16:
_____ i like ... _____
_____
_____ i like ... _____
_____

day 17:
_____ i like ... _____
_____
_____ i like ... _____
_____

day 18:
_____ i like ... _____
_____
_____ i like ... _____
_____

day 19:
_____ i like ... _____
_____
_____ i like ... _____
_____

day 20:
_____ i like ... _____
_____
_____ i like ... _____
_____

day 21:
_____ i like ... _____
_____
_____ i like ... _____
_____

i like...holding your hand.

your turn

month

day 22:

_____ written by _____ i like ... _____
_____

_____ written by _____ i like ... _____
_____

day 23:

_____ i like ... _____
_____

_____ i like ... _____
_____

day 24:

_____ i like ... _____
_____

_____ i like ... _____
_____

day 25:

_____ i like ... _____
_____

_____ i like ... _____
_____

day 26:

_____ i like ... _____
_____

_____ i like ... _____
_____

day 27:

_____ i like ... _____
_____

_____ i like ... _____
_____

day 28:

_____ i like ... _____
_____

_____ i like ... _____
_____

i like...holding your hand.

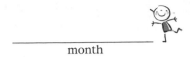

_____ month

day 29:
_____ written by _____ i like ... _____
_____

_____ written by _____ i like ... _____
_____

day 30:
_____ i like ... _____
_____

_____ i like ... _____
_____

day 31:
_____ i like ... _____
_____

_____ i like ... _____
_____

just for kids
what do you **like** about your family, friends, life or **you**?

_____ my name _____ i like ... _____

_____

_____

_____ i like ... _____

_____

_____

_____ i like ... _____

_____

_____

(kids too young to write? feel free to write on their behalf.)

imagine

sing

love

color

play

run

dance

draw

splash

smile

like

doodle

giggle

explore

laugh

hug

paint

smooch

dream

_____

month

day 1:

_____ written by _____ i like ... _____

_____

_____ written by _____ i like ... _____

_____

day 2:

_____ i like ... _____

_____

_____ i like ... _____

_____

day 3:

_____ i like ... _____

_____

_____ i like ... _____

_____

day 4:

_____ i like ... _____

_____

_____ i like ... _____

_____

day 5:

_____ i like ... _____

_____

_____ i like ... _____

_____

day 6:

_____ i like ... _____

_____

_____ i like ... _____

_____

day 7:

_____ i like ... _____

_____

_____ i like ... _____

_____

i like...your excitement about life.

"tomorrow we can eat broccoli but today is for ice cream."

—mallory

_____
month

day 8:
_____ written by _____ i like ... _____
_____
_____ written by _____ i like ... _____
_____

day 9:
_____ i like ... _____
_____
_____ i like ... _____
_____

day 10:
_____ i like ... _____
_____
_____ i like ... _____
_____

day 11:
_____ i like ... _____
_____
_____ i like ... _____
_____

day 12:
_____ i like ... _____
_____
_____ i like ... _____
_____

day 13:
_____ i like ... _____
_____
_____ i like ... _____
_____

day 14:
_____ i like ... _____
_____
_____ i like ... _____
_____

i like...your excitement about life.

trace *your* hand

_____ month

day 15:
_____ written by ____ i like ... _____
_____
_____ written by ____ i like ... _____
_____

day 16:
_____ i like ... _____
_____
_____ i like ... _____
_____

day 17:
_____ i like ... _____
_____
_____ i like ... _____
_____

day 18:
_____ i like ... _____
_____
_____ i like ... _____
_____

day 19:
_____ i like ... _____
_____
_____ i like ... _____
_____

day 20:
_____ i like ... _____
_____
_____ i like ... _____
_____

day 21:
_____ i like ... _____
_____
_____ i like ... _____
_____

i like...your excitement about life.

doodle

month

day 22:
_____ written by _____ i like ... _____
_____
_____ written by _____ i like ... _____
_____

day 23:
_____ i like ... _____
_____
_____ i like ... _____
_____

day 24:
_____ i like ... _____
_____
_____ i like ... _____
_____

day 25:
_____ i like ... _____
_____
_____ i like ... _____
_____

day 26:
_____ i like ... _____
_____
_____ i like ... _____
_____

day 27:
_____ i like ... _____
_____
_____ i like ... _____
_____

day 28:
_____ i like ... _____
_____
_____ i like ... _____
_____

i like...your excitement about life.

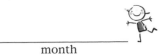

_____
month

day 29:
_____ i like ... _____
    written by
_____

_____ i like ... _____
    written by
_____

day 30:
_____ i like ... _____
_____

_____ i like ... _____
_____

day 31:
_____ i like ... _____
_____

_____ i like ... _____
_____

just for kids

what do you **like** about your family, friends, life or you?

_____ i like ... _____
    my name
_____

_____

_____ i like ... _____

_____

_____ i like ... _____

_____

(kids too young to write? feel free to write on their behalf.)

IF YOU
ARE FEELING
BLUE, TRY
PAINTING
YOURSELF
A DIFFERENT
COLOR. —HANNAH

_____
month

day 1:
_____ written by _____ i like ... _____
_____
_____ written by _____ i like ... _____
_____

day 2:
_____ i like ... _____
_____
_____ i like ... _____
_____

day 3:
_____ i like ... _____
_____
_____ i like ... _____
_____

day 4:
_____ i like ... _____
_____
_____ i like ... _____
_____

day 5:
_____ i like ... _____
_____
_____ i like ... _____
_____

day 6:
_____ i like ... _____
_____
_____ i like ... _____
_____

day 7:
_____ i like ... _____
_____
_____ i like ... _____
_____

i like...listening to you giggle.

"kids: they **dance** before they learn there is **anything** that isn't music."

—william stafford

place your photo here

_____ month

day 8:

_____ written by _____ i like ... _____

_____ written by _____ i like ... _____

day 9:

_____ i like ... _____

_____ i like ... _____

day 10:

_____ i like ... _____

_____ i like ... _____

day 11:

_____ i like ... _____

_____ i like ... _____

day 12:

_____ i like ... _____

_____ i like ... _____

day 13:

_____ i like ... _____

_____ i like ... _____

day 14:

_____ i like ... _____

_____ i like ... _____

i like...listening to you giggle.

if i had my child to raise
all over again ...

i'd build self esteem first and the house later.

i'd finger paint more and point the finger less.

i would do less correcting and more connecting.

i would take my eyes off my watch and watch
with my eyes.

i'd take more hikes and fly more kites.

i'd stop playing serious and seriously play.

i would run through more fields and gaze
at more stars.

i'd do more hugging and less tugging.

i'd see the oak tree in the acorn more often.

i would be firm less often and affirm much more.

i'd model less about the love of power and more
about the power of love.

—diane loomans

_____ month

day 15:

_____ written by ─ i like ... _____

_____

_____ written by ─ i like ... _____

_____

day 16:

_____ i like ... _____

_____

_____ i like ... _____

_____

day 17:

_____ i like ... _____

_____

_____ i like ... _____

_____

day 18:

_____ i like ... _____

_____

_____ i like ... _____

_____

day 19:

_____ i like ... _____

_____

_____ i like ... _____

_____

day 20:

_____ i like ... _____

_____

_____ i like ... _____

_____

day 21:

_____ i like ... _____

_____

_____ i like ... _____

_____

i like...listening to **you giggle.**

i like ...

month

day 22:

_____ written by _____ i like ... _____

_____

_____ written by _____ i like ... _____

_____

day 23:

_____ i like ... _____

_____

_____ i like ... _____

_____

day 24:

_____ i like ... _____

_____

_____ i like ... _____

_____

day 25:

_____ i like ... _____

_____

_____ i like ... _____

_____

day 26:

_____ i like ... _____

_____

_____ i like ... _____

_____

day 27:

_____ i like ... _____

_____

_____ i like ... _____

_____

day 28:

_____ i like ... _____

_____

_____ i like ... _____

_____

i like...listening to **you giggle.**

_____
month

day 29:

_____ i like ... _____
written by

_____

_____ i like ... _____
written by

_____

day 30:

_____ i like ... _____

_____

_____ i like ... _____

_____

day 31:

_____ i like ... _____

_____

_____ i like ... _____

_____

just for kids
what do you like about your family, friends, life or you?

_____ i like ... _____
my name

_____

_____

_____ i like ... _____

_____

_____ i like ... _____

_____

_____

(kids too young to write? feel free to write on their behalf.)

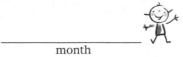

_____ month

day 1:
_____ written by _____ i like ... _____
_____
_____ written by _____ i like ... _____
_____

day 2:
_____ i like ... _____
_____
_____ i like ... _____
_____

day 3:
_____ i like ... _____
_____
_____ i like ... _____
_____

day 4:
_____ i like ... _____
_____
_____ i like ... _____
_____

day 5:
_____ i like ... _____
_____
_____ i like ... _____
_____

day 6:
_____ i like ... _____
_____
_____ i like ... _____
_____

day 7:
_____ i like ... _____
_____
_____ i like ... _____
_____

i like...when you are happy.

place your photo here

place your photo here

place your photo here

you
are
a
superstar

month

day 8:
_____ written by ____ i like ... _____
                                    _____
_____ written by ____ i like ... _____
                                    _____

day 9:
_____ i like ... _____
                                    _____
_____ i like ... _____
                                    _____

day 10:
_____ i like ... _____
                                    _____
_____ i like ... _____
                                    _____

day 11:
_____ i like ... _____
                                    _____
_____ i like ... _____
                                    _____

day 12:
_____ i like ... _____
                                    _____
_____ i like ... _____
                                    _____

day 13:
_____ i like ... _____
                                    _____
_____ i like ... _____
                                    _____

day 14:
_____ i like ... _____
                                    _____
_____ i like ... _____
                                    _____

i like...when you are happy.

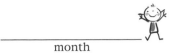

_____
month

day 15:
_____ written by _____ i like ... _____
_____
_____ written by _____ i like ... _____
_____

day 16:
_____ i like ... _____
_____
_____ i like ... _____
_____

day 17:
_____ i like ... _____
_____
_____ i like ... _____
_____

day 18:
_____ i like ... _____
_____
_____ i like ... _____
_____

day 19:
_____ i like ... _____
_____
_____ i like ... _____
_____

day 20:
_____ i like ... _____
_____
_____ i like ... _____
_____

day 21:
_____ i like ... _____
_____
_____ i like ... _____
_____

i like...when you are happy.

jot it down

month

day 22:

_____ i like ... _____
_____

_____ i like ... _____
_____

day 23:

_____ i like ... _____
_____

_____ i like ... _____
_____

day 24:

_____ i like ... _____
_____

_____ i like ... _____
_____

day 25:

_____ i like ... _____
_____

_____ i like ... _____
_____

day 26:

_____ i like ... _____
_____

_____ i like ... _____
_____

day 27:

_____ i like ... _____
_____

_____ i like ... _____
_____

day 28:

_____ i like ... _____
_____

_____ i like ... _____
_____

i like...when you are happy.

_____
month

day 29:
_____ i like ... _____
written by
_____

_____ i like ... _____
written by
_____

day 30:
_____ i like ... _____
_____

_____ i like ... _____
_____

day 31:
_____ i like ... _____
_____

_____ i like ... _____
_____

just for kids
what do you **like** about your family, friends, life or **you**?

_____ i like ... _____
my name
_____

_____

_____ i like ... _____

_____

_____ i like ... _____

_____

_____

(kids too young to write? feel free to write on their behalf.)

be happy

be true   be silly

be real

be loved

be

be nice   be free

be gentle

be wild   be kind

be you

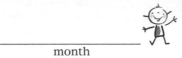

_____
month

day 1:
_____ written by _____ i like ... _____
_____

_____ written by _____ i like ... _____
_____

day 2:
_____ i like ... _____
_____

_____ i like ... _____
_____

day 3:
_____ i like ... _____
_____

_____ i like ... _____
_____

day 4:
_____ i like ... _____
_____

_____ i like ... _____
_____

day 5:
_____ i like ... _____
_____

_____ i like ... _____
_____

day 6:
_____ i like ... _____
_____

_____ i like ... _____
_____

day 7:
_____ i like ... _____
_____

_____ i like ... _____
_____

i like...that you see magic in the small stuff.

"count your rainbows not
your thunderstorms."

—alyssa

_____
month

day 8:
_____ written by _____ i like ... _____
_____

_____ written by _____ i like ... _____
_____

day 9:
_____ i like ... _____
_____

_____ i like ... _____
_____

day 10:
_____ i like ... _____
_____

_____ i like ... _____
_____

day 11:
_____ i like ... _____
_____

_____ i like ... _____
_____

day 12:
_____ i like ... _____
_____

_____ i like ... _____
_____

day 13:
_____ i like ... _____
_____

_____ i like ... _____
_____

day 14:
_____ i like ... _____
_____

_____ i like ... _____
_____

i like...that you see magic in the small stuff.

the eyes of love

a grandmother and a little girl whose face was sprinkled with bright red freckles spent the day at the zoo. the children were waiting in line to get their cheeks painted by a local artist who was decorating them with tiger paws.

'you've got so many freckles, there's no place to paint!' a boy in the line cried.

embarrassed, the little girl dropped her head. Her grandmother knelt down next to her. 'i love your freckles,' she said.

'not me,' the girl replied.

'well, when I was a little girl I always wanted freckles,' she said, tracing her finger across the child's cheek. 'freckles are beautiful!'

the girl looked up. 'really?'

'of course,' said the grandmother. 'why, just name me one thing that's prettier than freckles.'

the little girl peered into the old woman's smiling face. 'wrinkles,' she answered softly.

—author unknown

_____ month

day 15:
_____ written by _____ i like ... _____
_____
_____ written by _____ i like ... _____
_____

day 16:
_____ i like ... _____
_____
_____ i like ... _____
_____

day 17:
_____ i like ... _____
_____
_____ i like ... _____
_____

day 18:
_____ i like ... _____
_____
_____ i like ... _____
_____

day 19:
_____ i like ... _____
_____
_____ i like ... _____
_____

day 20:
_____ i like ... _____
_____
_____ i like ... _____
_____

day 21:
_____ i like ... _____
_____
_____ i like ... _____
_____

i like...that you see magic in the small stuff.

scribble

month

day 22:
_____ written by _____ i like ... _____
_____

_____ written by _____ i like ... _____
_____

day 23:
_____ i like ... _____
_____

_____ i like ... _____
_____

day 24:
_____ i like ... _____
_____

_____ i like ... _____
_____

day 25:
_____ i like ... _____
_____

_____ i like ... _____
_____

day 26:
_____ i like ... _____
_____

_____ i like ... _____
_____

day 27:
_____ i like ... _____
_____

_____ i like ... _____
_____

day 28:
_____ i like ... _____
_____

_____ i like ... _____
_____

i like...that you see magic in the small stuff.

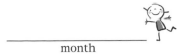

_____ month

day 29:
_____ written by _____ i like ... _____
_____
_____ written by _____ i like ... _____
_____

day 30:
_____ i like ... _____
_____
_____ i like ... _____
_____

day 31:
_____ i like ... _____
_____
_____ i like ... _____
_____

just for kids

what do you **like** about your family, friends, life or you?

_____ my name _____ i like ... _____

_____

_____ i like ... _____

_____

_____ i like ... _____

_____

(kids too young to write? feel free to write on their behalf.)

laugh together

1

take a family
portrait under
the table

2

have a themed
skit night
✶ movies
✶ cartoon characters
✶ make a song
into a skit

3

reenact something
you would do
everyday in reverse

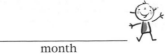

_____ month

day 1:
_____ written by ___ i like ... _____
                                      _____
_____ written by ___ i like ... _____
                                      _____

day 2:
_____ i like ... _____
                                    _____
_____ i like ... _____
                                    _____

day 3:
_____ i like ... _____
                                    _____
_____ i like ... _____
                                    _____

day 4:
_____ i like ... _____
                                    _____
_____ i like ... _____
                                    _____

day 5:
_____ i like ... _____
                                    _____
_____ i like ... _____
                                    _____

day 6:
_____ i like ... _____
                                    _____
_____ i like ... _____
                                    _____

day 7:
_____ i like ... _____
                                    _____
_____ i like ... _____
                                    _____

i like...your innocence.

"the only thing worth stealing is a kiss from a sleeping baby."

—joe houldsworth

month

day 8:
_____ written by _____ i like ... _____
                                          _____
_____ written by _____ i like ... _____
                                          _____

day 9:
_____ i like ... _____
                                 _____
_____ i like ... _____
                                 _____

day 10:
_____ i like ... _____
                                 _____
_____ i like ... _____
                                 _____

day 11:
_____ i like ... _____
                                 _____
_____ i like ... _____
                                 _____

day 12:
_____ i like ... _____
                                 _____
_____ i like ... _____
                                 _____

day 13:
_____ i like ... _____
                                 _____
_____ i like ... _____
                                 _____

day 14:
_____ i like ... _____
                                 _____
_____ i like ... _____
                                 _____

i like...your innocence.

how do you talk to yourself?

a man and his small son were out walking through the mountains and at one point, the little boy slipped 20-30 yards down the mountain side. finally he was able to grab onto a tree branch and hold on, then he screamed out, "help me!"

this voice boomed back, "help me!"

he looked kind of confused and yelled, "who are you?"

the voice boomed back, "who are you?"

the small boy was aggravated and said, "you are a fool!"

the voice came back, "you are a fool!"

he said, "you are a coward!"

the voice yelled back, "you are a coward!"

just about that time, his father got to him. the small boy asked his dad, "who is that?"

his dad laughed and said, "son, that's called an echo but really its called life. see, let me show you something son."

the dad hollered out, "you are a winner!"

the voice boomed back, "you are a winner!"

"you are talented!"

it came back, "you are talented!"

the dad yelled, "you've got what it takes!"

the voice rang out, "you've got what it takes!"

the dad said, "son, that's how life is. whatever you send out always comes back to you. the question is, what are you sending out about yourself? start sending out i am strong, i am talented, and i am the best. i'll make it, i am creative, i am healthy, i am prosperous and i am victorious. what you send out is going to come back to you. don't dare go through life being against yourself."

—unknown author

_____ month

day 15:
_____ written by ____ i like ... _____
_____
_____ written by ____ i like ... _____
_____

day 16:
_____ i like ... _____
_____
_____ i like ... _____
_____

day 17:
_____ i like ... _____
_____
_____ i like ... _____
_____

day 18:
_____ i like ... _____
_____
_____ i like ... _____
_____

day 19:
_____ i like ... _____
_____
_____ i like ... _____
_____

day 20:
_____ i like ... _____
_____
_____ i like ... _____
_____

day 21:
_____ i like ... _____
_____
_____ i like ... _____
_____

i like...your innocence.

shout it out

month

day 22:

_____ i like ... _____
written by

_____ i like ... _____
written by

day 23:

_____ i like ... _____

_____ i like ... _____

day 24:

_____ i like ... _____

_____ i like ... _____

day 25:

_____ i like ... _____

_____ i like ... _____

day 26:

_____ i like ... _____

_____ i like ... _____

day 27:

_____ i like ... _____

_____ i like ... _____

day 28:

_____ i like ... _____

_____ i like ... _____

i like...your innocence.

_____
month

day 29:
_____ written by _____ i like ... _____
_____

_____ written by _____ i like ... _____
_____

day 30:
_____ i like ... _____
_____

_____ i like ... _____
_____

day 31:
_____ i like ... _____
_____

_____ i like ... _____
_____

just for kids
what do you **like** about your family, friends, life or **you**?

_____ my name _____ i like ... _____
_____
_____

_____ i like ... _____
_____
_____

_____ i like ... _____
_____
_____

(kids too young to write? feel free to write on their behalf.)

"to the world you may be one person
but to one person you may
be the world."

—author unknown

_____
month

day 1:
_____ i like ... _____
written by

_____ i like ... _____
written by

day 2:
_____ i like ... _____

_____ i like ... _____

day 3:
_____ i like ... _____

_____ i like ... _____

day 4:
_____ i like ... _____

_____ i like ... _____

day 5:
_____ i like ... _____

_____ i like ... _____

day 6:
_____ i like ... _____

_____ i like ... _____

day 7:
_____ i like ... _____

_____ i like ... _____

i like...how **peaceful you look** when you sleep.

"while we try to teach our children about life, our children teach us what life is all about"

—angela schwindt

place your photo here

_____
month

day 8:
_____ written by _____ i like ... _____
_____
_____ written by _____ i like ... _____
_____

day 9:
_____ i like ... _____
_____
_____ i like ... _____
_____

day 10:
_____ i like ... _____
_____
_____ i like ... _____
_____

day 11:
_____ i like ... _____
_____
_____ i like ... _____
_____

day 12:
_____ i like ... _____
_____
_____ i like ... _____
_____

day 13:
_____ i like ... _____
_____
_____ i like ... _____
_____

day 14:
_____ i like ... _____
_____
_____ i like ... _____
_____

i like...how **peaceful you look** when you sleep.

_____
month

day 15:
_____ written by _____ i like ... _____
_____
_____ written by _____ i like ... _____
_____

day 16:
_____ i like ... _____
_____
_____ i like ... _____
_____

day 17:
_____ i like ... _____
_____
_____ i like ... _____
_____

day 18:
_____ i like ... _____
_____
_____ i like ... _____
_____

day 19:
_____ i like ... _____
_____
_____ i like ... _____
_____

day 20:
_____ i like ... _____
_____
_____ i like ... _____
_____

day 21:
_____ i like ... _____
_____
_____ i like ... _____
_____

i like...how **peaceful you look** when you sleep.

think out loud

month

day 22:
_____ written by _____ i like ... _____
_____
_____ written by _____ i like ... _____
_____

day 23:
_____ i like ... _____
_____
_____ i like ... _____
_____

day 24:
_____ i like ... _____
_____
_____ i like ... _____
_____

day 25:
_____ i like ... _____
_____
_____ i like ... _____
_____

day 26:
_____ i like ... _____
_____
_____ i like ... _____
_____

day 27:
_____ i like ... _____
_____
_____ i like ... _____
_____

day 28:
_____ i like ... _____
_____
_____ i like ... _____
_____

i like...how **peaceful you look** when you sleep.

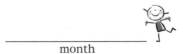

_____
month

day 29:
_____ written by _____ i like ... _____
_____
_____ written by _____ i like ... _____
_____

day 30:
_____ i like ... _____
_____
_____ i like ... _____
_____

day 31:
_____ i like ... _____
_____
_____ i like ... _____
_____

just for kids

what do you **like** about your family, friends, life or **you**?

_____ my name _____ i like ... _____
_____
_____
_____ i like ... _____
_____
_____
_____ i like ... _____
_____
_____

(kids too young to write? feel free to write on their behalf.)

i like ...

...you

_____

month

day 1:
_____ written by _____ i like ... _____
_____

_____ written by _____ i like ... _____
_____

day 2:
_____ i like ... _____
_____

_____ i like ... _____
_____

day 3:
_____ i like ... _____
_____

_____ i like ... _____
_____

day 4:
_____ i like ... _____
_____

_____ i like ... _____
_____

day 5:
_____ i like ... _____
_____

_____ i like ... _____
_____

day 6:
_____ i like ... _____
_____

_____ i like ... _____
_____

day 7:
_____ i like ... _____
_____

_____ i like ... _____
_____

i like...your hugs.

what is love according to children?

when someone loves you, the way they say your name
is different. you just know that your name is safe in
their mouths.   — billy

love is when you go out to eat and give somebody
most of your french fries without making them give
you any of theirs.   — chrissy

love is what makes you smile when you're tired.
                                                — terri

love is when my mommy makes coffee for my daddy
and she takes a sip giving it to him, to make sure the
taste is ok.   — danny

love is chocolate chip cookie bars at grandma's house.
                                               — jackson

love is when you tell a guy you like his shirt, then he
wears it everyday.   — noelle

love is like a little old woman and a little old man
who are still friends, even after they know each other
so well.   — tommy

my mommy loves me more than anybody. you don't
see anyone else kissing me to sleep at night.   — clare

love is when your puppy licks your face even after you
left him alone all day.   — mary ann

love is when mommy gives me a hug and a kiss and a
pat pat pat.   — austin

when you love somebody, your eyelashes go up and
down and little stars come out of you.   — karen

when my grandma got arthritis, she couldn't bend
over and paint her toenails anymore. so my grandpa
does it for her now all the time, even when his hands
got arthritis too. that's love.   — rebecca

month

day 8:
<u>written by</u> ——i like ... —————————————————————

<u>written by</u> ——i like ... —————————————————————

day 9:
————————i like ... —————————————————————

————————i like ... —————————————————————

day 10:
————————i like ... —————————————————————

————————i like ... —————————————————————

day 11:
————————i like ... —————————————————————

————————i like ... —————————————————————

day 12:
————————i like ... —————————————————————

————————i like ... —————————————————————

day 13:
————————i like ... —————————————————————

————————i like ... —————————————————————

day 14:
————————i like ... —————————————————————

————————i like ... —————————————————————

i like...your hugs.

_____ month

day 15:
_____ _written by_ _ i like ... _____
_____
_____ _written by_ _ i like ... _____
_____

day 16:
_____ i like ... _____
_____
_____ i like ... _____
_____

day 17:
_____ i like ... _____
_____
_____ i like ... _____
_____

day 18:
_____ i like ... _____
_____
_____ i like ... _____
_____

day 19:
_____ i like ... _____
_____
_____ i like ... _____
_____

day 20:
_____ i like ... _____
_____
_____ i like ... _____
_____

day 21:
_____ i like ... _____
_____
_____ i like ... _____
_____

i like...your hugs.

freestyle

_____
month

day 22:
_____ written by _____ i like ... _____
_____
_____ written by _____ i like ... _____
_____

day 23:
_____ i like ... _____
_____
_____ i like ... _____
_____

day 24:
_____ i like ... _____
_____
_____ i like ... _____
_____

day 25:
_____ i like ... _____
_____
_____ i like ... _____
_____

day 26:
_____ i like ... _____
_____
_____ i like ... _____
_____

day 27:
_____ i like ... _____
_____
_____ i like ... _____
_____

day 28:
_____ i like ... _____
_____
_____ i like ... _____
_____

i like...your hugs.

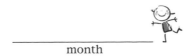

_____
month

day 29:
_____ i like ... _____
written by
_____
_____ i like ... _____
written by
_____

day 30:
_____ i like ... _____
_____
_____ i like ... _____
_____

day 31:
_____ i like ... _____
_____
_____ i like ... _____
_____

just for kids
what do you **like** about your family, friends, life or **you**?

_____ i like ... _____
my name
_____
_____
_____ i like ... _____
_____
_____
_____ i like ... _____
_____
_____

(kids too young to write? feel free to write on their behalf.)

"there are no seven wonders of
the world in the eyes of a child.
there are seven million."

—walt streightiff

_____
month

day 1:

_____ written by _____ i like ... _____
_____

_____ written by _____ i like ... _____
_____

day 2:

_____ i like ... _____
_____

_____ i like ... _____
_____

day 3:

_____ i like ... _____
_____

_____ i like ... _____
_____

day 4:

_____ i like ... _____
_____

_____ i like ... _____
_____

day 5:

_____ i like ... _____
_____

_____ i like ... _____
_____

day 6:

_____ i like ... _____
_____

_____ i like ... _____
_____

day 7:

_____ i like ... _____
_____

_____ i like ... _____
_____

i like...you.

"it is easier to **build strong children** than to **repair broken men.**"

—frederick douglass

place your photo here

_____ month

day 8:

i like ... _____
_____

i like ... _____
_____

day 9:

_____ i like ... _____
_____

_____ i like ... _____
_____

day 10:

_____ i like ... _____
_____

_____ i like ... _____
_____

day 11:

_____ i like ... _____
_____

_____ i like ... _____
_____

day 12:

_____ i like ... _____
_____

_____ i like ... _____
_____

day 13:

_____ i like ... _____
_____

_____ i like ... _____
_____

day 14:

_____ i like ... _____
_____

_____ i like ... _____
_____

i like...you.

"a child can ask questions
that a wiseman cannot answer."

—unknown author

_____ month

day 15:
_____ written by _____ i like ... _____
_____
_____ written by _____ i like ... _____
_____

day 16:
_____ i like ... _____
_____
_____ i like ... _____
_____

day 17:
_____ i like ... _____
_____
_____ i like ... _____
_____

day 18:
_____ i like ... _____
_____
_____ i like ... _____
_____

day 19:
_____ i like ... _____
_____
_____ i like ... _____
_____

day 20:
_____ i like ... _____
_____
_____ i like ... _____
_____

day 21:
_____ i like ... _____
_____
_____ i like ... _____
_____

i like...you.

create

_____ month

day 22:
_____ written by _____ i like ... _____
_____
_____ written by _____ i like ... _____
_____

day 23:
_____ i like ... _____
_____
_____ i like ... _____
_____

day 24:
_____ i like ... _____
_____
_____ i like ... _____
_____

day 25:
_____ i like ... _____
_____
_____ i like ... _____
_____

day 26:
_____ i like ... _____
_____
_____ i like ... _____
_____

day 27:
_____ i like ... _____
_____
_____ i like ... _____
_____

day 28:
_____ i like ... _____
_____
_____ i like ... _____
_____

i like...you.

_____
month

day 29:
_____ i like ... _____
   written by   _____

_____ i like ... _____
   written by   _____

day 30:
_____ i like ... _____
                             _____

_____ i like ... _____
                             _____

day 31:
_____ i like ... _____
                             _____

_____ i like ... _____
                             _____

just for kids

what do you **like** about your family, friends, life or **you**?

_____ i like ... _____
   my name   _____

_____

_____ i like ... _____

_____

_____ i like ... _____

_____

(kids too young to write? feel free to write on their behalf.)

notes & thoughts

notes & thoughts

notes & thoughts

notes & thoughts

CONGRATULATIONS!

you have completed your

the world is a better place
because you are in it!

reminder! order form
(get your updated i like book)

great gifts for everyone and any occasion!

send books to:

_____
name/company

_____
street address

_____
city   state   zip

e-mail _____

contact phone (_____)_____

i like book for couples, please indicate number of copies _____

i like book for kids, please indicate number of copies for:
     blue (_____) pink (_____) purple (_____) green (_____)
     orange (_____) red (_____)

please visit www.theilikebook.com for pricing.

payment method:

_____ check/money order
(please make checks payable to: Lucky Looney LLC)

please send order form with check/money order to:
the i like book
p.o. box 4091
parker, co. 80134

all credit card and paypal orders can be made at www.theilikebook.com

comments_____
_____
_____

contact: the i like book—p.o. box 4091, parker co 80134
tel: (888)737-like   www.theilikebook.com

titles to pick up now

"the i like book for couples"
meredith & lance j. looney

a **like** book for couples? yes, we know what you're thinking; my partner already knows what i **like** about them. but do they really know? do you know what your partner **likes** about you? the i **like** book brings fun & depth into any relationship. when you focus on the simple **likes** about your partner, you might begin to really **like** your relationship more than you ever thought possible.

"the five love languages of children"
dr. gary chapman & dr. ross campbell

primary love languages begin to take shape at an early age in children—but the need to feel loved begins and grows right away. with dr. ross campbell's expertise in child development, dr. gary chapman applies his love languages concept to children. learn to strengthen the bond you and your children share by speaking their language.

"positive personality profiles"
robert a. rohm

this book gives a basic overview preferences for each style. this book provides a foundation for understanding the DISC approach to human behavior. It is written to edify people and give clear understanding on gifts, talents and effectiveness of behavioral styles.

about us

as authors, entrepreneurs and parents of two
active boys, lance & meredith looney have helped
strengthen the lives of children, parents and
couples through their ground-breaking daily books,
the i like book for kids and the i like book
for couples. after spending many years in corporate
america, lance & meredith, set out on a journey
to help people create "fantastic relationships"
by promoting a back-to-the-basics philosophy of
positive attention and moments of meaningful reflection
with loved ones. you can visit their website at
www.theilikebook.com

"the i like book has shown me a new way of life. i now realize the many things i like about my children and grandchildren as well as how much i love them. the i like book is making a positive impact in the world."
    —karen, mother of three & grandmother of four

"there will never be a better investment of your time than of the few short moments each day that you incorporate this book into your child's life. when you utilize the i like book, something more special than you ever dreamed will be created."
    —travis, father of two

"this is a simple, yet wonderful, tool for any parent."
    —louise, mother of one & grandmother of two

"this amazing book has reinvented relationships between the teachers and kids at lightway at sloans childcare! actively looking for positive likes within each child has been priceless."
    —klare, mother of two, childcare & preschool owner

"we have four children in our busy home. the i like book is a blessing because it allows each child to feel uniquely special."
    —tammi, mother of four